郑栗儿/著

刘小琦/绘

大师密码 A-Z系列

大师密码E

理发师也有出头天

人民东方出版传媒
People's Oriental Publishing & Media
東方出版社
The Oriental Press

图书在版编目（CIP）数据

大师密码. E：理发师也有出头天 / 郑栗儿著；刘小琦绘. —北京：东方出版社，2015.2
ISBN 978-7-5060-8017-0

Ⅰ. ①大… Ⅱ. ①郑… ②刘… Ⅲ. ①儿童故事—作品集—中国—当代 Ⅳ. ① I287.5

中国版本图书馆 CIP 数据核字 (2015) 第 030723 号

大师密码 E：理发师也有出头天
（DASHI MIMA E: LIFASHI YE YOU CHUTOU TIAN）

作　　者：郑栗儿
绘　　者：刘小琦
产品经理：张媛媛
责任编辑：张媛媛
出　　版：东方出版社
发　　行：人民东方出版传媒有限公司
地　　址：北京市东城区朝阳门内大街 166 号
邮政编码：100706
印　　刷：小森印刷（北京）有限公司
版　　次：2015 年 4 月第 1 版
印　　次：2016 年 3 月第 2 次印刷
印　　数：4 001—9 000 册
开　　本：720 毫米 ×950 毫米　1/16
印　　张：4.5
字　　数：42 千字
书　　号：ISBN 978-7-5060-8017-0
定　　价：18.00 元
发行电话：（010）64258117 64258115　64258112

目　录

出版前言

每个父母都希望孩子未来能出类拔萃，并在孩子的教育问题上倾尽心力。

许多孩子长大后成熟乐观，在社会上如鱼得水，但不少人成年后并不快乐。他们即使地位显赫、经济条件优越，依然郁郁寡欢。带来快乐的因素有很多，其中起决定作用的则是人格。面对同样的问题，不同的人格往往造就不同的结果。

怎样才能培养健全的人格？我们不妨到传统文化中去寻找答案。几千年来，儒、道、佛相得益彰，共同塑造着国人的精神世界。儒家关切社会的治理，道家关怀生命自然状态的保持，而佛家则关心人生痛苦的解除。故此，历史上就有“儒家治世、道家治身、佛家治心”的说法。

今天很多人习惯于将佛教简单理解为一种宗教，有的人甚至认为它是封建迷信。如果去掉宗教的外衣，它其实是一座充满智慧，兼具心理、品德教育功能的文化宝库。

为此，我们从台湾引进了这套“大师密码”A–Z 系列。这套书以 130 个佛教大师的成长故事，体现了 130 个美好的人格特质。沉着、孝顺、无畏、远见……从这些有趣的故事里，孩子们不但可以学会如何获得成功，更能明白如何倾听内心的声音，获得快乐。

这套书结构编排巧妙，集合了台湾优秀的作家及插画师。书中故事生动活泼，插画精美，在台湾广受好评，曾获得台湾“第 27 次中小学生优良课外读物推介”。相信它同样会得到大陆青少年朋友的喜爱。

大师的密码　成功的特质

在我还是青少年时，就很喜欢阅读佛教大师的传记故事。可以说，我的人格就是从阅读大师的史传故事，点点滴滴建立起来的。

不论大人、小孩都喜欢读故事，法鼓文化历时两年的筹备，制作了这套有丰富精美插画的“大师密码”A–Z 系列。这套书中，选出 130 个“大师的美好特质”，一个特质就是一个大师故事，让孩子在趣味的故事中自然吸收大师的养分。

我曾指出佛教的高僧必须具有四大条件：持戒清净、修行精进、慈悲济众与护持佛法；如果转换成现代人的语汇，就是自律、认真、宽大、懂得回馈，而这些正是所有成功人士必备的条件。

很多家长以为孩子学佛会变得消极、不具竞争力；如果从大师的四大条件来看，这样的想法完全错误！孩子接触佛法绝对会更积极、健康，能为他们的一生奠定稳固的基础。

大师们的成就绝非偶然，也没有人一出生就是大师，父母应该提供这样的环境，让人格正在成长形塑中的孩子，吸收历代大师们的生命菁华，转化为他们自己的。我相信这一套“大师密码”A–Z 系列，能够成为孩子们成长的助缘！

聖嚴

台湾法鼓山禅修文教体系创办人

沙漠惊魂历险记

大师密码 Equanimity 沉着

法显是中国第一位到印度留学的大探险家，而且出发时已年过六十岁。他拼了毕生的力量前往印度，当然不是为了游玩，而是为了到印度取回中国严重缺乏的律典。

一趟旅程下来，他不但走了三十多个国家，还在印度学了三年梵文，学习精神真是令人感动。当时许多与他一起出发的人，不是半途折返，就是索性留在印度定居不归。虽然有人希望他就此留在印度，但法显为了让律藏能够流传汉地，仍然坚持东返回国。

法显一生最重要的成就，除了从印度携回并翻译经、律外，他所写下的旅行见闻《佛国记》，还被转译为多国文字，成为后人研究中国古代西域地区以及印度和东南亚各国史地的重要史料。

小档案 法显

- 国籍：中国
- 专长：翻译佛经
- 影响：第一位到印度留学取经的中国人，将一路见闻写成《佛国记》
- 事迹：六十五岁时冒险到印度取经，面对困境能沉着应变

秋高气爽，北方平原一片辽阔，成熟的金黄色稻穗饱满地低垂。稻浪随风翻动，可以看到十几个小沙弥挽起衣袖，正在一方稻田中挥汗收割。

冷不防地冒出一群彪悍的盗贼，把这些手无缚鸡之力的小沙弥们给吓了一大跳，对方来势汹汹地说：“把你们手中的稻谷统统放下，滚到一边去！”原来他们是来抢稻谷的。这年头不好，正是东晋时期五胡十六国混乱的局面，民不聊生，杀人、放火、抢劫的事件特别多。

小沙弥们一听，丢下所有东西，落荒而逃。其中一名不但不逃，眼睛还睁得大大的，似乎一点都不害怕。盗匪们故意提高音量，想要吓跑他：“你再不走，休怪我们不客气！”

那个沙弥依然站在原地，不但不为所动，竟还对这群彪形大汉说起道理：“你们需要稻谷，就尽管拿去吧！但我要告诉各位，做什么事都会有因果报应，你们前一世不知道布施，所以这一世沦为饥民。如果这辈子还不知道修福的话，下一世就会更贫困，我真是为你们担心哪！”说着说着，眼睛还发出一种令人折服的光芒。

盗贼们听完这番劝说后，竟然怔在原地不知如何是好，最后还丢弃了稻谷，匆忙离开。一旁的小沙弥们则对这位名为法显的沙弥处变不惊的精神，惊讶得说不出话来。

法显的三个哥哥先后都夭折了，他的父母为了避免最小的儿子也夭折，所以三岁时就送他去出家。从小，他就具备一般孩子所没有的冷静和智慧。遇到意外状况，总是能够沉着应对。成年后，法显成为一名正式的和尚，行为举止更加严谨端正，但随着年龄的增长，法显愈来愈感到一种无力感。原来，当时佛教虽然蓬勃发展，记载佛教礼法的经律却残缺不全，于是，他发誓西行到印度求法。

法显虽然一心想到印度求法，却迟迟没有机会可以成行。

最后终于在东晋隆安三年（公元399年）迈出西行的步伐。这一年法显已是六十五岁的老先生了，仍不改其雄心壮志。

长安的城门一大早才打开，就出现走往西北方的僧侣——法显和同伴慧景、道整、慧应等人。当时河西走廊一带兵荒马乱，为避开麻烦，他们绕了许多远路，第二年夏天才抵达张掖。在这里，他们遇上另一批西行的僧人，便共同组成一支朝圣团，结伴而行，远征流沙大漠。

沙漠是世界上最美丽的地方，也是最危险的地方。这一支朝圣团寂寞地走在茫茫无际的沙漠中，天空没有飞鸟，地面没有走兽，只能依照太阳“从东边升起，西边落下”的规律来辨清方位，沿着残存的人骨而走。最可怕的是热风，要是遇上的话，必死无疑。

法显一行人拉紧头巾，忍受着狂沙吹袭与日晒疼痛，一天走几十里路，陆续经过了西域几个国家。中间有人跑去筹措资金，有人生病掉队。好不容易又翻山越岭，穿越积雪冰峰，攀爬悬壁石梯，渡过急流绳桥。来到了中亚地区后，有人病死，有人耐不住苦要返国，整个朝圣团到最后只剩下三个人。

法显并没有受到打击，还信心十足地准备和另两位伙伴慧景和道整，继续南渡小雪山。

“你们怎么样？还可以吗？”领头的道整在前方不远处喊着。陡峭的雪山，脚一踩已经快淹到膝盖，强劲的寒流正长驱直入，简直冷到骨头里了！

法显伸出双手打个叉，要道整停住，因为在他身旁的慧景已经体力不支，再加上受不了寒流的袭击，整个人摔倒在雪地上，直打冷颤。法显赶紧抱住他。冻成紫黑色的慧景，声音微弱地向他诀别：“我不行了！你们继续努力，千万不要放弃！”

慧景话一说完就断气了，失去伙伴的法显哀痛地答应着：“我们一定为你实现取经的愿望！”

面对这样的处境，一直坐在这里伤心也无济于事，于是法显和道整化悲伤为力量，继续前进。终于翻越了雪山，又经过三十多个小国，抵达印度边境。多年来的努力，从十几人到两个人，这一刻总算抵达印度，两人忍不住相拥而泣。

来到昔日摩揭陀国的王舍城，佛陀说法的灵鹫山[1]就在城的东北方，但佛寺的寺僧却警告说：“那里路况不佳，经常会有吃人的黑色猛狮出没，还是别去了！”

[1] **灵鹫山**：简称灵山，又称耆阇崛山，位于中印度摩揭陀国王舍城东北，为重要的佛教胜地。由于山形像鹫头，而且山中多鹫，所以得名。

法显坚决地说道："我们万里跋涉，历经重重的艰险，唯一的心愿就是亲自到当年佛陀说法的圣地瞻仰礼拜，就算是死也心甘情愿！"

寺僧只好派两个僧人陪同。到了灵鹫山，太阳已经西斜，法显想留宿山上，便让他们先行离去。整个灵鹫山充满了寂静，灵鹫山因有着突出的像鹫头的岩石而得名。昔日佛陀说法的身影仿佛还在空荡的平台上。法显怀着虔诚的心，一个人在无人的山上烧香礼拜，静静地遥想当年佛陀时代的盛况。

当天夜晚，法显正在专心诵经时，突然出现三只巨大的黑狮子。这几个庞然大物似乎无视于他的存在，在他面前走来晃去。法显却依然诵经不断，心中没有任何惧怕。后来狮子们索性都坐在法显脚前，法显沉着地对狮子说：“如果你们想吃我，那就等我把经念完。如果是要考验我，那就可以回去了！”狮子竟然像是听懂了，过没多久就乖乖地摇尾离去。

接着，法显和道整花了四年游历佛教古迹，然后到中印度阿育王塔南天王寺，收集了《摩诃僧祇律》《萨婆多律》等等佛教经典，在这里又停留三年，学习梵书、梵语。后来一路同行的道整打算留下来，不愿返国，法显便自己一个人继续旅行，周游印度各地，搭船到狮子国取得其他经典。

公元411年，法显搭上商船，辗转漂泊，终于在七十七岁高龄时返回中国，成为第一位到海外取经求法的大师。

除了完成百万言的译经工作，他还将自己西行的见闻写成一部《佛国记》[2]——记录着这一路的惊骇，也记录着他冷静沉着、化险为夷的事迹。

❷**《佛国记》**：又称《高僧法显传》《历游天竺记传》，为中国僧侣旅行印度传记中现存最古老的典籍。内容为法显经中国古代西域到印度各国求法过程的记录。

理发师也有出头天

大师密码 Equality 平等

美发师这一当红的时尚行业，是很多人一生的梦想。但是在优婆离那个时代，美发师代表的却是无法反抗的悲惨命运，因为只有贱民阶级的人才会从事理发工作。

幸好他没有放弃自己，勇敢追求人生理想，才能有机会遇见佛陀，成为佛教第一个贱民出家的人。他出家后，没有被大家惊讶的目光吓到，反而更精进用功地研究戒律，从不犯错，维护出家人的端严威仪，让人自然敬重。

所以原本身份尊贵的国王和王子们，还傲慢地想说要不要硬着头皮勉强对他行礼，后来都被他身教感化，打从心底尊敬这位佛陀门下“持律第一”的尊者！

小档案 优婆离

- 国籍：印度
- 别称：佛陀十大弟子持律第一
- 专长：理发、持律
- 影响：为佛教持律的典范人物。佛陀去世后的第一次结集，由优婆离诵出三藏中的律藏
- 事迹：虽为贱民阶级，仍勇敢追寻真理而出家

迦毗罗卫国城外蓝毗尼花园的无忧树，最近显得更加翠绿而高大，淙淙的流泉也特别清亮。鸽子从远方迎回了得道三年后首度返乡的佛陀，王宫中所有人都洋溢着欣喜，但是年轻的宫廷理发师优婆离，却相当地不安。

他终于忍不住向母亲开口："妈妈，佛陀这次回来，他们要我帮忙理发呢！佛陀是崇高的觉者，我这个出身首陀罗[1]低下阶级的人，怎能碰触尊贵的佛陀？"

[1] **首陀罗**：为印度四个种姓中地位最低的奴隶阶级，只能从事劳动的低贱职务。佛陀主张四姓平等，并允许首陀罗阶级出家。

原来，印度古代的社会组织，分为婆罗门、刹帝利、吠舍和首陀罗四种阶级，而最低下的首陀罗，命中注定要当奴隶。备受歧视的他们，在路上如果遇到贵族，一定要低头跪在一旁让路，不能偷看，否则眼睛会被挖掉。连不小心踩到对方的影子，都要立刻回家沐浴、忏悔。过着如此悲惨的生活，更别奢望会有受教育的机会了。

优婆离的父母非常疼爱孩子，为了让体弱的他，不必那么辛苦地做苦工，便送他去学剃头的技术。优婆离的学习能力很强，没多久就学得一身好手艺，加上他的个性老实善良，深获释迦族的信任，让他到王宫为小王子们理发。果然，那些王子们都非常喜欢优婆离。这回，更得到为佛陀理发的殊荣，但他却紧张极了！

母亲知道优婆离的困扰后，鼓励他说：“别担心，听说佛陀非常慈悲，他不会看不起你的。”

终于，佛陀回来了！为了替优婆离壮胆，母亲还陪他去为佛陀理发，只见优婆离拿出剃刀，小心翼翼地为佛陀理起发来，整个世界仿佛只剩下剃刀的声音。

“请问佛陀，优婆离理得还可以吗？”母亲跪在佛陀面前关心地问。

佛陀温和地回答：“身体有点弯。”优婆离因为太过恭敬而一直弯曲着身体，经佛陀这么一说忙把身体挺直，然后更加专心地理发。

不久，母亲又问："佛陀，现在怎样？"

"身体又太直了！"优婆离听了，赶紧再做调整，又更集中注意力。

过一阵子，母亲再问："佛陀，那现在呢？"

"呼吸太大了！"优婆离便把心意都集中在呼吸上，渐渐地脑海中没有一丝妄念，进入禅定的状态。

这时，佛陀对旁边的比丘说："他已经进入了没有任何念头的境界了。"

佛陀真的是非常慈悲，他知道优婆离的资质悟性其实很高，所以借着剃发的机会，教导优婆离修行的方法。佛陀对于众生如此平等地对待，不分任何阶级，都不放弃教导，让他们也有开悟的机会，这在当时的印度社会简直是不可能的。而佛陀所提倡的佛法也是平等的，他看出每一个人都有佛性，像优婆离专注地剃发也可以达到禅定境界。

佛陀的法雨滋润了整个迦毗罗卫国，当他要离开时，许多的释迦族子弟也跟着一起出家，几个王子如跋提、阿难、阿那律等人，也想跟着出家。他们悄悄地溜出王宫，但因为出家必须要剃发，只好把优婆离也带着。

在路旁的树荫下，优婆离一边帮王子们剃发，一边偷偷流泪，阿那律责备他：“我们出家可是一件好事！为什么哭呢？”

优婆离慌忙解释：“请原谅我的失礼，长久以来我就服侍着跋提王子，他对我非常好，现在他要出家了，我想到不知道什么时候才能再相见，忍不住难过起来。”

阿那律听了以后，也不知道该如何安慰优婆离，于是和其他几位王子，把身上佩戴的华丽饰品都脱下来，放在毯子上，一起送给优婆离：“你别哭了，这些东西我们出家后也用不着，你带回去吧！当作往后的生活费。”

看着换上袈裟的王子们逐渐远去，伤心的优婆离把首饰一丢：“你们身为贵族，都能够舍弃世间的繁华而去出家，我这个首陀罗，对这世间又有什么值得眷恋？这些珠宝我不要，我要跟你们一起出家！”

于是，优婆离跟着追过去，一路追到了佛陀休憩的林子，却突然想起自己的出身：“我是一个贱民，怎么有资格追求出家的梦想呢？”

出家的愿望就像被一盆无情的冷水给浇灭了，他停下脚步，看着自己光着的脚丫、粗俗的穿着，这就是现实世界里的优婆离：一个首陀罗，还妄想跟着高贵的王子们一起出家。他的眼泪不禁又流了下来，对于世间的不平等也只能含泪接受。

耳际忽然传来一阵和蔼关切的声音："你怎么哭得这么伤心呢？"原来是佛陀的弟子舍利弗，他看见优婆离站在这里哭泣，便开口问他。

优婆离把事情的经过告诉舍利弗："我太自不量力了！但我真的很想出家。"

舍利弗被他的真诚打动："佛陀的教法是平等慈悲的，只要你有心出家，佛陀一定会答应的，走吧！我带你去见佛陀。"

优婆离半惊半喜地跟在舍利弗身后，一见到佛陀便扑地跪下，表明自己出家的心愿，佛陀很欢喜地同意了，并称许他说：“你很有善根[2]，将来一定可以发扬正法。跋提、阿难、阿那律王子他们也来请求做我的弟子，但我要他们先修行七天，把王子骄贵的习气祛除。”

优婆离感激得说不出话来，他暗自发愿：“我一定要好好努力，跟随佛陀学习。”

七天后，佛陀为跋提等王子们剃度后，要他们向已经是比丘的优婆离顶礼[3]，众王子们一看到优婆离庄严的相貌，都惊讶不已。但一时要他们放下身段向他顶礼，却怎么也拉不下脸。

[2] **善根**：表示一个人具有能够明白佛法、接受佛法及修持佛法的根器。

[3] **顶礼**：是印度最高级的敬礼。行礼方式为两膝、两肘着地，以头顶行敬礼，承接所礼者的双足。

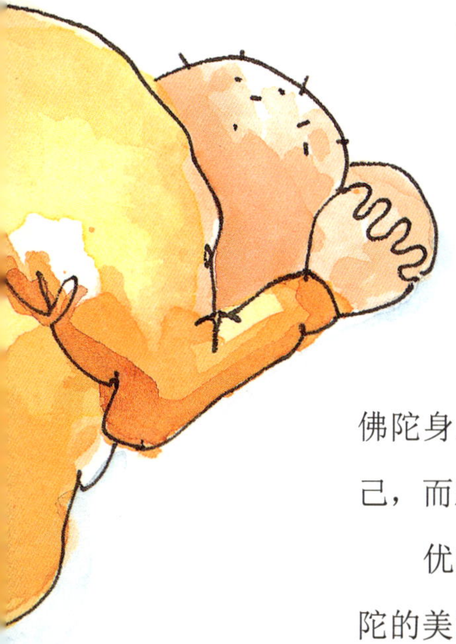

佛陀威严地训斥他们：“你们要出家学道，却不肯放下骄傲的自我，怎能学有所成呢？我先让优婆离出家，所以按辈分来讲，他已是你们的师兄，你们应该谦虚地向他顶礼才是。”

于是，众王子们带着歉意，纷纷向优婆离顶礼，而优婆离也虚心地回礼。从佛陀身上，他学会了平等地对待众生，其中也包括自己，而对自己更有自信。

优婆离是贱民阶级出家的第一人，他没有辜负佛陀的美意，比别人更珍惜得来不易的求道机会，对于佛法和戒律，都能如获至宝地严加遵守，从未违反，成为佛陀门下“持戒第一”的优秀弟子。

挑战极限“心”运动

大师密码 Endurance 忍耐

密勒日巴非常喜欢用唱歌的方式，与人分享佛法的智慧。他创作的特殊风格的“道歌”，多达十万多首呢！

喜欢唱歌的人，应该都活得很开心吧？其实，密勒日巴长期都过着非人的生活。父亲在他七岁时就死了，叔婶不但夺走了父亲的遗产，还把他和他妈妈、妹妹当奴隶使唤。他后来虽然学成咒术报复叔婶，却非常后悔施咒杀人，因此改拜马尔巴为师修学正法。为了帮助密勒日巴洗清罪业，马尔巴用种种苦役磨炼他，直到他罪业清净才传法给他。

从一个大罪人到一个大成就者，以苦行闻名的密勒日巴，以他的生命之歌，带给人们无限的心灵启发！

小档案 密勒日巴

- 国籍：中国
- 别称：喜笑金刚
- 专长：密法、咒术、唱歌
- 影响：噶举派的传人
- 事迹：默默接受师父马尔巴的苦行磨炼

这是狩猎的季节。

西藏嘉俄泽的猎人们，追寻着猎物来到护马白崖窟，却什么也没有发现，只看到一个洞穴。不多久，洞口出现一个毛茸茸的绿色怪物，披头散发，把大家吓得齐声大叫。

“你是人，还是鬼？”

绿色怪物开口说话：“别怕！我是人。”

这声音好熟悉，一名猎人便问：“你是‘闻喜’吗？”

绿色怪物点点头，猎人上前把他打量一遍：“你不是学得了咒术，要什么有什么！怎么会变得像骷髅一样，住在这个破山洞里？”

猎人接着请求道："我们今天什么收获也没有，能不能请你给点食物？"

闻喜听了，返回洞里，拿出一只煮锅："如果不嫌弃的话，这儿还有些野荨麻。"

猎人尝了一口，不禁作呕："你就只有这东西可以吃啊？"

"我在这座山洞修行数年，发誓如果没有修成正法，就算饿死也不下山。前几年还有糌粑可以吃，后来糌粑吃完了，找不到食物，就开始吃地上的野荨麻。吃了三四年后，连身体都变成了绿色。"

"你这哪是人过的生活啊？"

闻喜却用喜悦的声音回答："你们别这么说，我可是非常幸运，遇见了我的好老师马尔巴[1]。他教导我最殊胜的佛法，将我过去的罪孽都净除，还叫我来这寂静无人的山中修行，我现在的心里可是充满了安稳快乐呢！"

[1] **马尔巴**：藏传佛教噶举派创始者，为著名的藏梵双语大译师。曾经多次留学印度、尼泊尔，向老师那洛巴学习到许多重要密法。密勒日巴是马尔巴门下最为杰出的弟子。

猎人们听了都深感好奇，他们围绕着闻喜，请求他说出自己特别的遭遇。

原来，当年闻喜奉母亲之命，跑到卫藏学得咒术，并用咒术报复了强夺家产的叔婶及姑母，还害死了三十多个人，又降下巨大冰雹、引发洪水，把家乡成熟的麦子给冲毁了。虽然完成了母亲的心愿，但是闻喜没有得到报复的喜悦，他对于所犯下的罪行深感后悔，便生出想要修持正法的心念。

听说札绒有一位密教大师马尔巴，曾经到印度修法，是大行者那洛巴的亲传弟子。闻喜便前往札绒，拜马尔巴为师，不料他对闻喜毫不客气："要我传法给你可以，但是你得自己找食物。"

闻喜便外出乞食，还用讨来的麦子换了一只大铜灯供养师父。隔天，师父把供养的铜灯点起来，闻喜对师父请求："请师父传我正法。"

师父却回答："你去帮我降冰雹惩罚抢匪，我就传法给你。"

闻喜已经发心不再使用咒术害人了，但为了求法只好勉强答应。没想到施咒成功后，师父竟然痛骂他一顿："你果然是一个会用恶法的人，你可以施咒毁灭一切，但你可以把它们恢复原状吗？"闻喜听了之后非常难过，因为虽然自己是遵守师父的指示，但竟然还是做错了，他实在很难体会师父的用心。过几天，师父改变心意："你的身体很强壮，只要你帮我造好一间放经书的石屋，我就传法给你！"

闻喜一听非常欢喜，每天背着粗重的石头和木料，从山下背到山上，流着涔涔汗水，开始造起屋来，眼看房子都造了一半，师父却跑来说："这地点不理想，你还是把石头和木材都运回去吧！"闻喜当场都傻眼了！但师命难违，只好重新把石头和木材都搬下山。

师父要他改到西边的山上，盖一间半月形房子。这一次的任务更艰巨，每天要走好几里路，才能把材料运到山上。费了好一番工夫，房子总算又造了一半，师父却过来说："我看这地方也不好，你把房子拆了，把材料运回原地。"

善变的师父这回要他到北方的山上盖一座三角形房子，闻喜只好照办，心里却知道师父一定又会改变主意。

果然，房子盖了三分之一，师父竟然全盘否认："我没有叫你盖在这儿啊！"

为了求法而一直暗自忍耐的闻喜，因做苦工太久，每天背重物上上下下，把背部的皮都磨破了，血水直流。所有努力的结果，却是白忙一场。

连师母都看不下去而帮他求情，但师父不为所动，还是要他建造一间四方形十层楼的大堡。这一回，马尔巴的三个大弟子也帮忙搬运了许多石头，事后师父知道气个半死：“去！把他们帮你搬的石头运回去！”

闻喜含着眼泪，心想：“我果真是一个大罪人，要一直受这种罪啊！”他忍受着身体和心里的痛苦，终于把房子盖到第七层，却引来马尔巴族人的抗议，原来这里是族人的禁地，不能造屋。师父笑眯眯地跟闻喜说：“你不要盖这个大堡了！去帮我造一间有十二根柱子的大客店。”

房子盖了那么多次，师父却始终没有传法给闻喜，而闻喜已经手脚受伤，身体也多处溃烂。师母不忍地安慰他：“马尔巴连对狗都很慈悲，不知道怎么会这样对待你。”她偷偷给了闻喜一颗红宝石，当作给师父求灌顶的供养，又假传马尔巴旨意，让闻喜到大弟子俄巴喇嘛那儿学法，但都被马尔巴识破，怒火冲天地要打人。

闻喜哭得很伤心:“我对上师的信心从来没有动摇过，但是我的罪孽太深了，所以师父一直不肯传法给我。我今生修不到正法，不如自杀算了吧！”说完就拔出小刀要自尽，所有的人都非常同情闻喜，纷纷劝阻。

这时，师父终于心平气和地说了：“我为了净化闻喜过去所造的恶业，所以用种种苦行来磨炼他，他也以无比的忍耐力通过了试炼。好了，现在起他可以好好地修行了！”

听完闻喜的故事，猎人们不禁赞叹：“你能通过这种严苛的考验，还能在这只能吃野荨麻的洞穴里修行，一定能有所成的！”

猎人给予闻喜祝福后，离开了洞穴。

他们说得没错，闻喜就是后来西藏著名的尊者密勒日巴，也是噶举派[2]的传人。他曲折的修行传奇，让人歌颂不已，他可不是什么绿色怪物，而是伟大的绿巨人！

[2] **噶举派**：“噶举”的意思即为“口传”，本派非常注重师徒间以言语亲传的继承，教法以“大手印”为代表。

出奇制胜的禅宗大师

大师密码 Enlightenment 开悟

中国唐朝的马祖道一大师，世称“马大师”，是禅宗史上赫赫有名的“千里马”，让禅宗教法展现出全新的活力。

他自从出家后，原本一天到晚除了打坐还是打坐，几乎快变成一动也不动的“大石头”，幸好遇上了南岳怀让禅师将他“点石成金”，让他悟以禅法的窍门。他从此不再整天枯坐，并且一改禅宗传统坐禅、看经的教法，能够以“平常心是道”“即心即佛”的精神，用棒喝、隐语、动作、手势等多种方式来帮助人领悟禅心。

马祖道一在江西洪州弘传怀让禅师的法脉，他开创的宗派便称为“洪州宗”。由于他的入室弟子多达一百三十九人，后来都广布各地弘法为一方宗主，所以“洪州禅”便以江西为核心，像阳光一样普照中国南北。

小档案 马祖道一

- 国籍：中国
- 别称：马大师
- 专长：禅修
- 影响：开创禅宗的洪州宗
- 事迹：以活泼禅法点化弟子开悟

这和尚真是奇怪极了！

两只眼睛像老虎一样炯炯有神，走起路来像牛在散步，而且舌头长得可以碰到鼻梁。他不看经书，也不跟人讨论佛法的道理，每天枯坐在南岳衡山的草庵参禅。他不管春天的花、夏天的云、秋天的太阳和冬天的雪，也不管原始森林的虫鸣鸟叫和峡谷瀑布的流动，整个人好像变成了一根木头。

许多人都传说着："这马祖道一的禅定功夫不得了，已经这样一动不动地坐了好几年！"话传到般若寺六祖惠能弟子怀让[1]的耳朵里，他想起禅宗祖师爷般若多罗尊者曾经预言："后世会出现一匹千里马，把我们的禅法发扬光大。"也不知是真是假，先去看看这位一直在打坐，俗姓"马"的马祖道一究竟是怎样的来历。

怀让一看，觉得马祖道一果然是个奇特不凡的人。便开口问："请问你整天坐禅图个什么呢？"

❶ **怀让**：世称南岳怀让，为唐代禅宗六祖惠能门下弟子，他与青原行思禅师的教法，并列为南宗禅两大法流。后来他的弟子马祖道一又继承他的法流，发展出临济、沩仰等宗派。

道一率直地回答：“图个做佛啊！”

怀让笑笑，顺手拿起地上的一块砖，就在草庵前的石头上磨了起来。没事这样磨砖，又是件奇怪的事哩！道一忍不住问：“你磨砖做什么呢？”

怀让头也不抬地回答：“把它磨成镜子啊！”

道一听了哈哈大笑：“砖块也能够磨成镜子啊？”

怀让停住手，反问他：“既然磨砖不能磨成镜子，那么坐禅可以成佛吗？”

这一说，道一茅塞顿开，怀让又问：“如果要让一部牛车前进，你是打牛，还是打车呢？”

“当然是打牛了！”

怀让点点头：“这牛就是我们的心，车子是我们的身体，你想成佛应该要用‘心’，而不是用‘身体’打坐。成佛不能拘泥于形式，所以执着于坐禅，是不能成佛的！”

怀让接着又补充道：“我们的心本来就有佛的种子，不须外求，当遇到水泽的滋润时，因缘成熟，就会萌芽发展，悟见大道。至于如何悟见大道，则要从平常的心念着手。”

道一张大他的老虎眼，好像被闪电击到一样震住了！这下他大彻大悟了！他赶忙从座位上跳起，跪在怀让面前行恭敬的弟子礼，从此追随怀让十年时光，承袭了“平常心是道❷”“即心即佛❸”等重要的禅法思想。

❷ **平常心是道**：为禅宗用语，表示修行是与日常生活合而为一的。

❸ **即心即佛**：又称是心即佛、心即是佛。

但这和尚还是奇怪极了！

他虽然得道了，也离开师父到洪州、临川，又到南康龚公山建立禅林寺院，发扬南禅的心法，人们却总是看见他对弟子们说一些奇奇怪怪的话，不然就是又打又骂。可是他的弟子们却一个个都笑嘻嘻的，被打被骂也不要紧，反而还一副开窍的模样。

原来道一可不是一般墨守成规的人，他把传统的禅法变得更活泼生动了，他的师父用特别的方式让他开悟，同样，他也运用各种活泼的方式让弟子们开悟，有的用言语，有的用“当头棒喝[4]”，也运用生活中的事物作为譬喻。

[4] **当头棒喝**：为禅宗用语，意思为警醒人破除烦恼。

这一天是春暖花开的好日子，大地冰冻的霜雪渐渐融化，马祖道一带着徒弟百丈怀海来到郊外散步。在一片荡漾的水光风景中，突然一群野鸭子嘎嘎叫着飞掠而过，越过他们的头顶，飞向了远方的天空。

道一当场问怀海："那是什么？"

怀海回答："野鸭子啊！"

道一又再问："现在去哪儿了？"

怀海想都没想地答道："都飞走了！"

没想到道一不但狠很地捏了怀海的鼻子，还臭骂了他一顿："哪有什么飞走了？"

原来，道一指的是怀海的心不在现在这个时刻，而是跟鸭子一起飞走了，所以就故意捏痛怀海的鼻子，让他回到此时此刻的痛。这一捏，怀海就开悟了，脑海里所有的念头都消失了，只剩下一片清澈。

又有一天，从浙江大云寺来了一位慧海禅师，听说马祖道一是位不按常理出牌、处处充满禅机的著名禅师，便专程前来求见。才刚跨入法堂的大门，道一就劈头问他："你来这里做什么？"

慧海从容地说："是来求佛法的。"

道一回答道："你自家的宝藏不要，跑来干什么？我这儿什么都没有。"

这可绝了！道一怎会知道慧海有什么宝藏呢？慧海便疑惑地问："请问慧海的自家宝藏是什么？"

"刚刚问我的那个当下，就是你的宝藏，不必再向外寻求。"这番话讲的就是"即心即佛"的意思，也就是佛性本来就在我心，不必再外求。慧海听完后，立刻得到了启发。

还有一次，一只鹿从门口跑过去。过了不久，出现了一名手拿着弓箭的猎人，他探头向院内的马祖道一问："和尚，你看见一只山鹿跑过去了吗？"

道一问他："你是谁？"

猎人回答："打猎的！"

"会射箭吗？"

猎人想说哪个猎人不会射箭呢？这不是白问吗？

“当然会啊！”

“那你一箭射几个？”

“一箭射一个。”

道一马上摇头，不以为然：“那你不懂得射法！”

这猎人原本就对出家人没有什么好感，听了更加火大，马上反击：“那和尚你懂吗？”

只见道一不紧不慢地回答：“懂啊！我一箭还不只射一个，我可以射一群呢！”

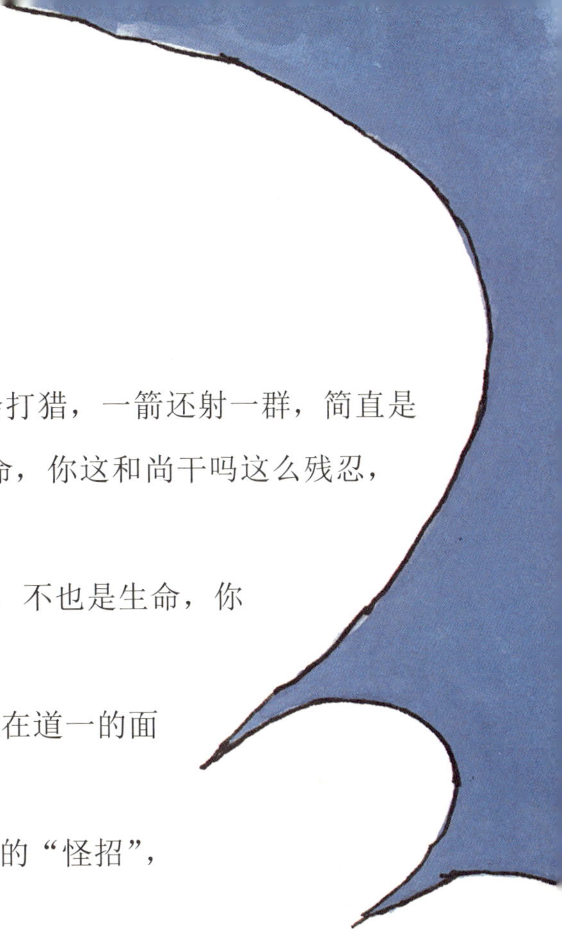

真是奇怪的和尚，身为出家人还会打猎，一箭还射一群，简直是荒唐。猎人没好气地说：“万物都有生命，你这和尚干吗这么残忍，要射一群呢？”

“那你已经知道了！你一箭射一个，不也是生命，你怎么不射你自己呢？”

猎人一听，便把弓箭丢在地上，跪在道一的面前，请求落发出家。

像这类在日常生活中帮助他人开悟的“怪招”，对于马祖道一而言，可说是家常便饭。

这些怪招，处处充满了智慧与开创性。马祖道一不仅将禅法落实到生活中，他所创立的洪州宗，门下更培育出多达一百三十九位杰出的弟子，因此马祖道一可说是唐朝最伟大的禅师之一。

挑战十难
四十八奇的人

大师密码　Enthusiasm 热忱

虚云诞生于清末民初这一风起云涌的大时代，当时不仅中国国运岌岌可危，中国禅宗也衰老腐旧，缺少新的活力。幸好虚云能够以无比的热忱，一肩挑起了振兴中国禅宗的重任。

虚云在福州鼓山涌泉寺依妙莲和尚出家受戒后，曾经遍访金山、高旻、天童、天宁……各大名刹，并巡礼佛教四大名山：普陀、五台、峨眉与九华。好学的他，行脚广及西藏、印度、斯里兰卡、缅甸等地。这些丰厚的参学经验，成为他后来重建八十多座佛教寺院的力量。

长寿的虚云活了一百二十岁，在动乱的大时代，虽然经历了八国联军、抗日战争……却从不气馁，反而在战后的废墟里，不断努力地重建寺院、恢复教法，中国禅宗才能不因战乱衰绝，传灯迄今。

小档案　虚云

- 国籍：中国
- 法号：德清
- 专长：禅修
- 影响：为民初四大师之一
- 事迹：热心重建八十多处佛寺

有的人遇见苦难，就开始怨天尤人；有的人却把苦难当作一种磨炼，愈挫愈勇。虚云就好像是苦难的朋友，一辈子都在各种苦难及奇奇怪怪的事中成长。

虚云出生在清朝末年，据说他出生时，竟然是一只肉球，他的母亲因此惊吓过度而死。幸好，一位卖药老人路过，拿出刀子把肉球划开，结果里头居然藏着一个小婴儿。

虽然一出生母亲就过世了，但在虚云的心中，对母亲的爱不曾稍减。当他长大出家后，忆念起父母对他的恩德，便发心从普陀山朝拜到五台山，以礼佛的功德来报答逝世的父母。

苦行三年期间，他遭遇了被大雪埋没的饥寒、上吐下泻的痢疾急病，以及口流鲜血等等危难，好几次都差点把命送掉。幸好一位老乞丐总是适时现身相救，还帮他把行李先带去五台山，让他能方便拜行。

经过这些苦难，虚云变得更坚强，往后的修行过程中，当他遇上别的麻烦，像是失足落水、险遭杀害，甚至是国家战争连连、动乱不已，他都能以逆来顺受的心情一一化解，苦难更激发了虚云弘扬佛法的热忱。

像一朵虚空中的云，虚云四处参访名山大川，他的行迹踏遍了中国各地，包括偏远的西藏、四川、云南以及台湾，还去过缅甸、马来西亚、泰国等地，每到一所古老荒废的佛寺，他就以无比的热忱帮忙重建，恢复教法。

这一天，奔波多年、已经九十岁的老和尚终于回到当年十九岁出家的福建鼓山涌泉寺。物换星移，幽静的千年古刹经历了鸦片战争、甲午战争到民国的军阀之乱，早已面目全非。

虚云重返鼓山的消息，振奋了所有的信徒，大伙从山下站到山上，就是为了欢迎虚云。

等虚云到了鼓山，发现修建寺庙还算小事，最大的问题是佛寺的规矩全都被破坏了，寺僧们在寺里私收信徒，各成一派势力。虚云看着方丈室外枯死多年的两棵铁树，思索着改革的方案。心中对佛法的热忱，让他义无反顾地投入这艰巨的工作。

“为了重振佛寺的戒规，首先不准私收徒众，大家都吃统一的伙食，不能各吃各的；有些不必要的职务也取消，以避免浪费……”虚云还没说完，一些不守规矩的捣乱分子便开始起哄反对。

“凭什么你讲了就算！”“你以为你是谁啊！”……

面对这些反对，虚云不为所动，还是全力执行改革，这下子更激怒了某些人，他们联合起来准备采取抵制的行动。

在一个寒冷的深夜，储放干柴的柴房被一场莫名的大火给烧成灰烬，火势还波及到一旁的禅室，差点闹出人命。虚云为了不让事态扩大，并没有向官府告状，这样宽大为怀的作风，顿时让闹事的僧人心生惭愧。就这样，鼓山不仅恢复了参禅制度，也设了学戒堂，成立了佛学院。

虚云的热忱，让两棵已死的铁树都感受到了新气象，竟然发出新芽，开出了白花呢！

虚云随后受邀到岭南整顿南华寺。这座曹溪南华六祖的道场残破已久，无人闻问，虚云花费了半年时间，在乡绅的支持下，重建了道场。道场启用那天，无数的信众们都来参加盛会。当天夜里，虚云正在大殿说法时，一片漆黑中，突然跑出一只好大的老虎，把所有人吓得四处乱逃。跟在乡绅身旁的保镖立刻掏枪要打，被虚云制止。那只老虎竟然像一只驯良的小猫一样，安安静静地走到大殿的石阶下，来到虚云面前。

虚云跟老虎说：“我为你皈依[1]，从此你就是佛门弟子了，回你的深山去吧！记得不要伤害人！”只见这只大老虎点点头，接受完皈依后，才依依不舍地离开，消失在黑色林间。这一幕场景让周围的人忘记了恐惧，心都跟着老虎一起融化在虚云的慈悲中。

[1] **皈依**：是成为佛教徒的一种仪式，表示回到佛教的佛、法、僧三宝，依靠三宝的指导修行。

公元 1944 年，虚云应邀重建云门大觉寺。他拨开杂草堆，走进残破不堪的大觉寺，看见五代时期云门禅宗祖师文偃禅师的肉身，竟然处身在废墟中，不禁难过地流下泪来。

虚云不改热忱的个性，找来几位僧人，经过九年辛苦整顿，一砖一瓦地重建了整个云门大觉寺。这中间还发生了抗日战争和解放战争，但是虚云拒绝去香港避难："我一辈子什么灾难没遇到过，何必惊慌呢？"

不幸的是，虚云这辈子最大的灾难还是发生了！

一天，一群长相凶狠的大汉，带着木棍硬闯进大觉寺，也不顾寺内一百多位出家人，就东翻西找地把整个佛寺给搜了一遍，但怎么也找不到传说中的枪械和黄金白银。

"我们这里就只有佛经而已，没有其他东西。"虚云出面应对。

匪徒不听解释，把虚云和二十几个弟子一起抓走，关在暗无天日的小房间里。三天后，十几个大汉进来拷问："说！藏在哪里？"

虚云仍然回答：“没有。”一群人棍棒齐飞，把他打得头破血流，还狠狠地将他摔到地上。匪徒以为老和尚已经被打死了，没想到，过了一天后，听说他还没死，又进来再打一次，下手比之前更毒辣：“这下你可死了吧！”

匪徒们以为虚云必死无疑，便放心离开。服侍的弟子看见虚云满身是血地倒卧在地，连忙把他抱到床上。只剩下一点点呼吸的虚云，一动不动地躺在床上，好像断气了一样。想不到过了一天后，奄奄一息的虚云居然发出呻吟，又活了过来，匪徒们听说之后简直吓坏了，又回寺院找他的弟子问：“那老家伙怎么就是打不死？”

虚云的弟子回答：“老和尚是替众生受苦，也在为你们消灾，以后你们就知道了！”对于这奇特的经过，匪徒们听了也觉得十分不可思议，从此再也不敢找他们麻烦。

公元1959年，虚云在云居山去世，结束长达一百二十年的精彩生命，他一辈子总共遭遇了“十难四十八奇❷”，重建了八十几处大小道场，而且不论大时代如何变化，都坚持弘传佛法。能这样无怨无悔，为救度众生而甘于苦难的折磨，也只有他那颗热忱的心才能办得到吧！

❷ **十难四十八奇**：虚云一生多遭险难与奇遇，十难包括：生为肉球、饥寒雪掩、痢疾待毙、口流鲜血、失足堕水、大病顿发、索断浸水、险遭剖腹、全身枯木与遭匪毒打。四十八奇包括：煮芋入定、虎伏阶下、双鹅绕佛、死而复生等四十八件奇事。